少年经济学院

像经济学家一样思考

灰鸽叔叔 著　油头鸭 绘

北京科学技术出版社

图书在版编目（CIP）数据

像经济学家一样思考 / 灰鸽叔叔著 ; 油头鸭绘 . -- 北京 : 北京科学技术出版社 , 2021.11（2023.6 重印）
ISBN 978-7-5714-1712-3

Ⅰ. ①像… Ⅱ. ①灰… ②油… Ⅲ. ①经济学－少年读物 Ⅳ. ① F0-49

中国版本图书馆 CIP 数据核字（2021）第 148123 号

策划编辑：郑宇芳
责任编辑：郑宇芳
封面设计：杨沐梵
图文制作：曾仲宇
责任印制：吕　越
出 版 人：曾庆宇
出版发行：北京科学技术出版社
社　　址：北京西直门南大街 16 号
邮政编码：100035
电　　话：0086-10-66135495（总编室）
0086-10-66113227（发行部）
网　　址：www.bkydw.cn
印　　刷：北京宝隆世纪印刷有限公司
开　　本：787 mm × 1092 mm　1/16
字　　数：390 千字
印　　张：6.75
版　　次：2021 年 11 月第 1 版
印　　次：2023 年 6 月第 3 次印刷
ISBN 978-7-5714-1712-3

定　　价：49.00 元

掌握一种思考的方法

一夜暴富的故事很多，即便是大人，听到这些故事也会心潮澎湃。类似“30堂课让你年薪百万”“5分钟变成投资大师”等内容，更是让人们陷入了巨大的狂热之中。怎样才能看见那些隐藏在一夜暴富的故事背后的故事，怎样才能认清不断涌现的骗局呢？

这本书用一种厘清线索的方式，通过对基础商业知识的解析，帮助大家看清现象背后的本质，并让大家产生一些奇妙的变化。

一是，我们也许不那么着急了。总有一些商品，看起来特别值得抢购，让人感觉“过了这村就没这店了”。但这种哄抢的背后，到底是真的物有所值，还是商家营造出来的假象？相信那些炒鞋、炒盲盒的案例会给我们一些启发。

二是，我们也许不那么贪心了。总有很多所谓的致富机会出现在我们身边，每个家庭似乎都有可能遇到这种一夜暴富的机会。但它们究竟是机遇，还是骗局？

识别它们也许并不容易，但看看那些前人走过的弯路，正确答案就会逐一浮现。

三是，我们也许不那么自负了。很多人都觉得自己很自律、很自觉，能对抗各种“上瘾机制”，但如果我们了解这些机制背后的原理，就会知道光喊口号肯定不行，识破其中的奥秘才是我们取胜的关键。

四是，我们也许不那么迷恋财富了。我们通过经济学和商业知识了解了财富自由的意义，也知道了过好每一个踏实的日子才是我们真正的生活。

成为一位经济学家，并不是一朝一夕的事，但用他们的方式思考，可以从现在就开始。

目录

- 黄金开采得越多，价格就越低吗？ / 2
- 儿童免票为什么要从“按身高”改成“按年龄”？ / 6
- 脚上穿的鞋也能成为投资品吗？ / 11
- 租房比买房便宜很多，为什么大家还要买房？ / 15
- 超市为什么会把看上去还能吃的食品扔掉，而不是送人？ / 20
- 为什么一个杯子可以卖这么贵？ / 26
- 花两三千万元吃一餐饭，到底值不值？ / 30
- 盲盒的生意经 / 35
- 联合 IP 都能一加一大于二吗？ / 40
- 为什么在经济低迷期，奢侈品还会涨价？ / 44
- 为什么经济形势不好的时候，股市也会上涨？ / 49
- 为什么很多效益好的大公司也会突然倒闭？ / 55
- 直播带货动不动就销量破亿，你信吗？ / 61
- 在“双十一”购物真的更便宜吗？ / 67
- 假货和便宜货为什么不能混为一谈？ / 72
- 为什么玩游戏容易上瘾？ / 77
- 口罩到底能不能涨价？ / 83
- 垃圾分类这件“麻烦事”，值得做吗？ / 89
- 为什么国际油价下跌的时候，国内油价不下跌？ / 94
- 为什么诺贝尔奖的奖金到现在还没发完？ / 100

黄金开采得越多，价格就越低吗？

一般来说，如果一种商品的产量越来越多，而人们的需求变化却不太明显，那它的价格就会走低。这就是经济学中的供求关系影响价格。

但这一理论在贵金属领域似乎行不通，比如黄金。由于持续开采金矿，黄金总产量应该越来越多；而且黄金似乎并不是快速消耗品，不会过期，也不会蒸发。那么，为什么黄金不是开采得越多，价格越便宜呢？人们明知道这一点，还去开采，不怕黄金贬值吗？为什么大家还说黄金保值呢？它保值的秘密在哪里？

黄金能保值的三大因素

虽然开采出的黄金中一部分是用于工业生产的，存在一定的消耗，但已开采的总量确实是越来越多，它之所以能保值，有三个方面的原因。

一是总量。我们平时所说的总量主要是已生产出来的产品。例如，仓库中的家用电器、超市里的食物，它们堆积得越多，商家清仓的意愿就越强烈，打折的可能性就越大。而另一种关于总量的看法，是“可使用的产品”。例如黄金，它的总量是地球上可用的黄金资源，其中一部分已开采，成了我们生活中的黄金产品或应用于工业生产，另一部分尚未开采。对矿产等不可再生资源而言，如果现在开采过多，很可能意味着未来的产量降低。因此，黄金的总量事实上并没有变化。

二是产量。从开采者的角度来说，矿产的开采需要投入人力、设备等成本。假设“开采一多价格就下降”，那就意味着即便矿主投入更多的成本，挖出更多的黄金，也

没办法按比例获得更多的收入，反而降低了未来黄金的开采量。所以，开采者本身也会控制黄金产量。

三是同比效应。我们生活中常说的保值，一般指的是某个商品和货币的比值没有发生变化，货币的购买力是稳定的。但这种稳定并不意味着两者都不变，也可能意味着两者都增加或两者都减少。例如，已开采黄金的总量增加了5%，货币发行量同时也增加了5%，甚至更多，那黄金自然也不会出现贬值的情况。

黄金保值的两大条件

保值最简单的定义就是商品要保住原有的价值，不管时代怎么变化，它的价值都不会发生太大波动，可以有效抵御通货膨胀。人们普遍认为以黄金为代表的贵金属是保值资产之一。

商品要想保值，不仅要耐存储，还要有稀缺性。而贵金属的稀缺性并不取决于已开采了多少，而是取决于总量是多少。从这一角度而言，发现新金矿对

黄金价格的影响，会高于目前可以开采的黄金矿藏量对黄金的影响。

如果某种物品耐存储又不稀缺，就会因为总量过大失去作为“等价物”的资格，人们不会把它作为财富的交换品（比如路边的石头）。如果某种物品稀缺但不耐存储，人们会因为损耗太大而不愿意持有(比如可能被虫咬的字画)。黄金恰好能同时满足耐存储和稀缺两个条件。

一般等价物的作用是成为各种商品的价值标准，各种商品都可以把它作为参照，来评估自身的价值。

经济学随堂笔记

全球各地都有黄金市场，在这里黄金能兑换当地的货币，这就意味着黄金具有一般等价物的特点，可以从商品世界中分离出来，用于衡量其他商品的价值。让黄金拥有这一地位的，除了稀缺和耐存储两大条件，还有两个不容忽视的因素：首先，黄金交易起来很方便，它的硬度不高，可以随意切割，熔铸也很容易。其次，它的防伪性相当高，颜色与众不同，辨识度很高。因此，黄金在保值之余，在历史上多次扮演了实物货币的角色。如果没有纸币，大家家里恐怕真会有一个名副其实的“小金库”。

看看家里有没有可以起到保值作用的物品？它符合耐存储和稀缺两大条件吗？

儿童免票为什么要从"按身高"变成"按年龄"？

如今，越来越多的地方已经把儿童免票的标准从“按身高”改成了“按年龄”。原来按身高时，儿童免票通常以 1.4 米作为标准线。这条标准曾引发了人们的不满。

不同时代的不同做法

我们评判包括经济在内的任何政策都不能脱离时代背景。如果以现在的眼光审视过去的做法，会觉得当时的许多做法不可思议，但在当时这些做法不仅凝聚了许多人的智慧，同样也发挥了巨大的作用。以身高为标准的儿童免票政策，就是一个具有代表性的案例。

明线和暗线

明线，即儿童平均身高的增加。数据显示，由于生活条件改善，我国少年儿童的平均身高一直处于稳步上升的状态，其中城市 12 岁未成年人的平均身高已经超过 1.5 米，6 岁男童的平均身高也达到了 1.2 米。根据《柳叶刀》杂志的数据，在过去的 35 年里，中国 19 岁男性的平均身高增长了 8 厘米，儿童的身高也有了非常明显的增长。同样，现在小学生的体形和按身高免票政策出台的那一年相比，也有了很大变化。也就是说，在当时 1.4 米这一标准可以囊括大多数符合免票政策的儿童，但现在却很难覆盖大多数了。

暗线，即判断年龄的方式出现了变化。现在看来，原政策最不合理的地方未必是身高限定太矮，而是把身高与年龄画上了等号。事实上两者之间肯定存在一定差异的，个子高的低龄和个子矮的大龄，都会成为明显的漏洞，但在当时，未满 16 周岁的公民一般没有身份证，也不知道自己的身份证号码，很难要求所有人都带着户口本去旅游或者乘车；居民的信息没有联网，很难查询其证件的真实性。简单来说，在信息不发达的年代，要了解一个人的年龄，需要额外付出大量的社会成本。如果有人谎报年龄，查证工作也极其麻烦。

因此，身高就成了相对公平的评判标准。尽管它确实存在缺陷，却依然是判断年龄的大概率标准。现在，外部环境发生了变化，公民出生便可以办理身份证，拥有身份证号码；信息已经实现联网，从技术层面看，儿童免票的标准回到年龄，已经没有任何障碍。

政策的滞后性

一项政策已经明显不符合当今社会的运行规律，但通常还会存续一段时间，再进行调整。这其实是大多数政策调整面临的现状。

这种滞后性体现在两方面。

一是时间上滞后。例如，如果按照儿童身高一直在做调整，在过去的几十年里从 1.4 米改成 1.42 米，再改成 1.45 米，会产生大量的成本（比如，所有的购票说明都要重新印刷）。而每一次更改只是多了一些可以免票的高个子儿童，并没有彻底解决儿童不管个子高矮都能享受优惠政策的问题，反而增加了娃娃脸、个子矮的大人逃票的可能性。因此，与其频繁地在有缺陷的政策上做修补，不如寻找更好的解决方式。

二是政策本身滞后。这是由技术的局限性决定的。例如，在信息网络不发达的时代，人们无法想象一部手机便能证明自己的身份。人们比较期待政策具有“前瞻性”，即能预见问题，进行预判，但受制于科技条件，这样的预判往往很难发生。

经济学随堂笔记

如今，国际上大部分游乐场对于门票售卖的通行做法，都是按照年龄标准制订相应政策，出示能证明孩子年龄的有效证件，如出生证、护照、身份证或学生证等。信息都联网了，判断证件真假也不再是难题。所以，对火车票、飞机票等来说也一样，决定免票或者优惠的身高尺，迟早会退出历史舞台。

前瞻和预判比人们想象得更困难。对大多数政策来说，在成本可控的情况下进行弥补和调整，是较为可行的方法。

小思考

想想身边还有哪些以身高作为优惠标准的措施？你觉得它们应该如何改进？

脚上穿的鞋也能成为投资品吗？

投资和投资品

我们经常听说有人投资赚了钱，有人投资亏了钱。那么，投资到底是什么？投资品是什么呢？

用比较通俗的话来说，投资是用钱交换一个被预估有升值潜力的“东西”，这个东西可以是物品，也可以是企业的股权，投资的目的，是卖出这个“东西”时，可以换回更多的钱。

而投资品是指购买后你什么也不用做，就可以等待时机将其出售以获得利益（也可能亏损）的商品。

鞋到底可不可以成为投资品？

有人说鞋，尤其是限量版的鞋，是兼具收藏和投资价值的。那么，我们需要知道几个简单的投资原则，不仅限于鞋子，可能在所有的投资领域都适用。

确定投资的目标

例如，我们买股票，其实就是投资一家公司。为的是什么？是相信它可以用好我们给它的钱，然后产生更大的价值，从而让我们得到更多的回报。而鞋显然不在这个范畴里，它更偏向于收藏。

收藏类投资的两个基本原则

收藏是将有一定市场价值的东西保存起来的行为。那么，收藏物品是不是投资行为呢？是的，但收藏类的投资有两个绕不过去的问题。

一是物品长期保存的可能性。鞋作为日常用品，必然存在保存问题。你买到了鞋且不打算卖出去，鞋在家里存放一年，可能就会发霉。就像你收藏一幅字画，

待价而沽，结果字画被虫蛀了，那就很糟糕。如果没有好的保存条件，大多数收藏品就很容易贬值，这是一个风险。但如果你为了一双鞋，要购买各种保存设备，似乎又不划算。

二是物品的稀缺性。总体而言，像鞋这样的工业化产品，无论是哪个品牌，都仍然是批量化流水线产品，饥饿营销的方式只能制造心理稀缺效应，不可能制造真正的价值稀缺性。

就算是限量版的鞋，也很有可能马

饥饿营销一般是指企业故意调低产量，制造出一种“供不应求”的假象，让产品的价格居高不下，从而获得更高利润的一种策略。它的表现形式是“明明能生产、消费者也需要、但故意少生产或者延后生产”。

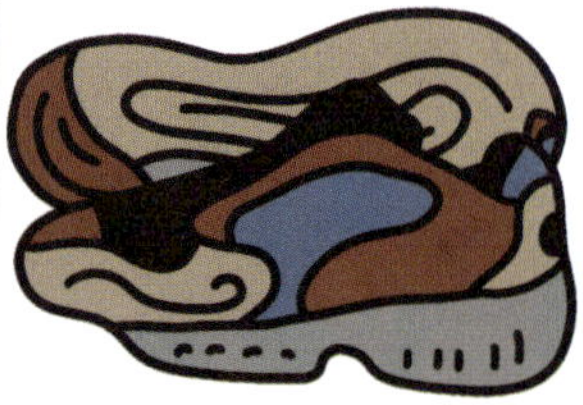

上满大街都是，因为鞋的生产不具有技术壁垒，有很多的代工生产线和贴牌工厂。限量款，到底生产了多少双永远是一个谜。

从理论上讲，一双 A 品牌的“真鞋”应该是由 A 设计、生产、包装，在 A 的渠道销售的产品。但事实上，各大鞋类品牌基本上都是自己只出设计图，其他的全都外包或者委托生产，受委托生产的工厂一旦面临利益诱惑，也可能自行生产或者出让生产线，造成生产环节的不可控。

经济学随堂笔记

我们做任何投资，都要记住一个原则：一个没办法控制产量的市场，炒作价值为 0。明白了这个原则，鞋或其他投资品到底有没有价值，我们就会有一些正确的判断啦！

小思考

你的父母或者你认识的人中有人在做收藏类的投资吗？如果有，可以尝试判断一下，他们的投资是否值得。

租房比买房便宜很多，为什么大家还要买房？

如果不考虑把这套房子卖掉，只用来居住，很可能租房更轻松划算。但为什么大家要买房的观念依然那么根深蒂固呢？

买房的优势

在欧美发达国家，租房人群的比例在40%左右。也就是说，有接近一小半的人选择租房居住，像纽约等大城市，租房人群的比例更高。

中国人的租房居住意愿比不少发达国家的人低，不仅是因为受传统观念的影响，而且也有经济方面的原因：看起来好像是租房花的钱少，但会有大量的隐形成本，比如房价可能会一直上涨，一旦租房的人在几年后决定买房，就要花费比几年前买房更多的钱；而房租也可能会一直上涨。因此，房价的持续上涨才是人们着急买房的主要因素，即预期决定购买意愿。

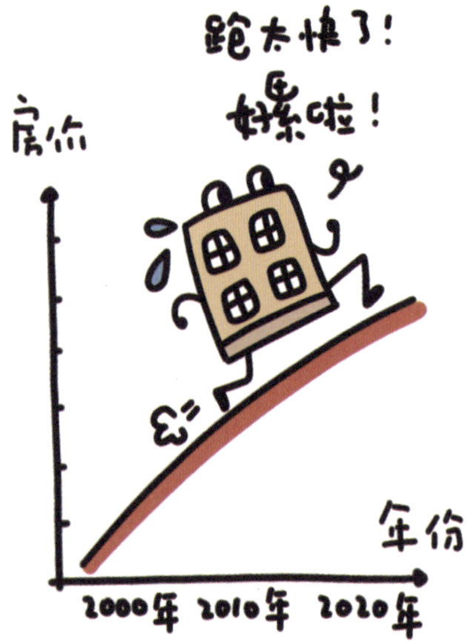

房价的历史波动

在不少发达国家，房价早就进入了稳定期，在数十年间价格都没有太大的变化，而中国的房价却经历了几轮大幅上涨，人们心中形成了“一拖就买不起”“买了还会涨”的心理预期。

人们如果对一件可租、可买的商品抱有升值预期，那买的意愿就会更强烈。如果中国的房价进入了非常稳定的区间，“贷款也要抓紧买”的现象自然就会减少。

租房的不稳定性

因为对房价升值有预期，所以房屋在出租过程中，房东也会倾向于“第二年涨价”，不会和房客签订长期的价格不变的租房协议。这就意味着租客一直处于一种不安心、不稳定的状态，随时准备换房，不愿意把租来的房子精心布置。房子越不好好布置，就越像一个临时住所，长期居住的意愿就更低。

房产自带的福利

在中国，户籍和学籍决定孩子在哪里接受基础教育，所以在小学附近的房子就自带了一个很好的福利。如果只是租房，就享受不到这样的附带权益。另外，有房的人和没房的人申请信用卡的额度也是不一样的，这同样会促使人们做出买房的决定。因此，人们买房不仅是为了把房子变成自己的财产，而是有很多现实上的考虑。

租房成为共识的前提

作为居住的主要方式之一，租房居住当然也是一个合理的选择。对低收入者来说，我国有廉租房政策，确保他们能够以较低的价格租到房屋；对中等收入者来说，租房可以避免做房奴、成为负债一族；哪怕对高收入者来说，租房也可能是让自己多几个可以居住的地方……但要让人们认同租房，现有的环境还需要两个变化和调整。

一是房价的持续稳定。只要大家发现房价不会一直上涨，购买的急迫性就会减弱。租房市场就有了更大的发展空间，长期租约也有可能出现，租客就更愿意打理租住的房子。

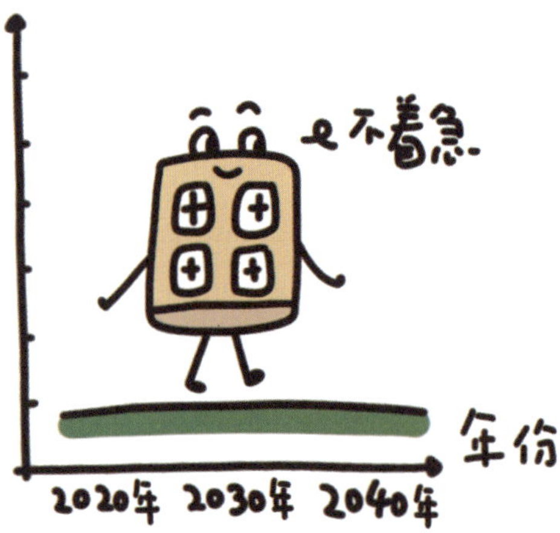

二是相对均衡的社会资源。不同区域的教育水平差异过大，学区房自然会受到热捧。但如果教育差异缩小，人们的购买需求自然也会减弱。

显然，目前上述两点并没有完全实现，在这样的环境下，哪怕买房花的钱更多，也会成为大多数人的选择。

经济学随堂笔记

未来该租房还是该买房取决于我们对未来的判断：房价是否会维持原有水平？社会资源是不是会越来越均衡？如果我们的答案是“是的”，那买房就成了不那么紧迫的事。

对年轻人或者收入暂时不高的人来说，可以选择租房生活，进行过渡。若想购买一套属于自己的房子，可以等工作稳定，有了一定的积蓄后再去购买，不用过早让自己负债。

如果未来 10 年，房价的波动越来越小，“早买”和“晚买”的差价越来越小，那租房的人所占的比例自然就会显著提高。

小思考

你觉得“租房才是未来的生活方式”这种说法值得提倡吗？

超市为什么把看上去还能吃的食品扔掉，而不是送人？

商家眼中的浪费

以食品为例，我们通常认为，把还能吃的食物扔掉就是浪费。但对商家来说，需要考虑的问题就复杂得多。

商家购进食品产生了成本，有的货物还需要加工制作，结果货物卖不掉，过期了，扔掉就是损失。有没有别的方法可以弥补损失和减少浪费呢？很多人说可以打折处理，食品离保质期越近，折扣力度越大，临期就免费送，总比扔掉好。这种想法很理想化。确实有些蛋糕店会采取傍晚打折的做法，但你会看到，他们是非常谨慎的，而且总量也不会很大。

为什么？因为一旦开始这样做，你就会发现，一大批顾客会从正常购买转向等打折购买。如果面包是下午 6 点以后打 5 折，那很多顾客就会等 6 点再来店里购买。这样一来，本来还可以盈利的产品，一下子变成了亏本的产品，就算所有产品都卖出去了，但有可能亏得更多。

送人的难处

很多人会说，那可以做公益，送给有需要的人。但难的是如何操作：怎么找到有需要的人，一旦开启这个公益通道，企业的成本就会大幅增加，远远大于制作食品的成本。如果企业主动寻找，就会增加运输物流成本——快递费用、汽油费；如果让大家来企业领取，要怎么审核？万一有冒领的人怎么办？要不要填表？要不要维护秩序？是否需要成立一个新部门？仔细一算，需要付出的成本都够再开一家店了。

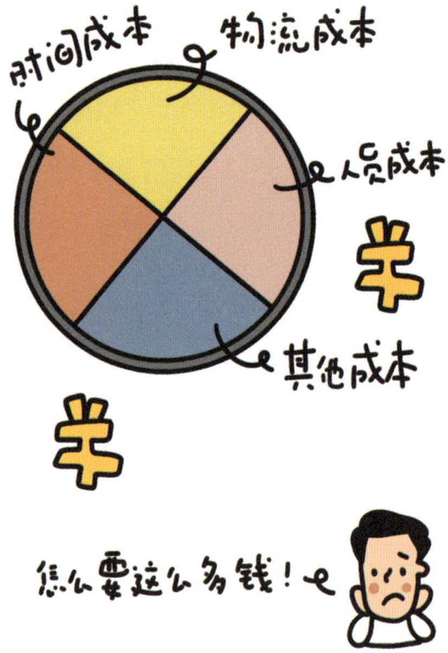

这样一来，我们对浪费就有新的看法了。单看扔掉食品这个行为，的确是一种浪费。但如果再往长远看，就会发现，如果我们为了不浪费食物去投入额外的人力、物力，可能导致企业产生更大的支出。专门处理临期产品是一件非常复杂的事情，直接扔掉对企业来说支出最小。

法律风险

除了成本，还有法律风险。万一有人因吃免费食品而生病，甚至没问题也借题发挥，事情就会变得更加复杂。如果企业真要去赔偿，这可比扔临期食品的成本大多了。

最合理的选择

从上面这些角度考虑，扔掉看起来最不合理，但却成了最合理的选择。其实，很多食品连锁店也是这样做的，销毁全部到期未卖完的食品。仔细一想，这还可以证明店里对品质控制很严格。很多人都会觉得，在这家店买东西买到的是新鲜的食品，安全放心。但“扔”毕竟是有些极端的选择，怎么解决这个问题呢？

对企业来说，最重要的做法就是精准控量。也就是说，通过预测，尽量让生产数量和销售数量匹配。最理想的状态是商品正好卖完，当然这不太可能，但可以通过既有数据行推断和市场分析，让两者的差距缩小。例如，今天推出一种新蛋糕，有 50 个没有卖掉，可能它不受欢迎，明天我就少生产 50 个。天气预报说后天有大暴雨，估计当天大家不愿意出门，但今明两天大家可能会囤货，今明两天多生产一些，后天少生产一些，等等。

用商业的眼光看，企业就是要做好供需平衡。在产品生产之前，企业要做好充分的需求调查，评估出消费者的需求量，然后再匹配生产量，这样就可以保证合理的利润率。例如，某地居民明明只需要 10 盒牛奶，商家做各种促销活动，让大家买了 12 盒，就是成功的。但商家要是想卖给大家 50 盒牛奶，那牛奶出现滞销是必然的。最后，价格难免整体下跌，卖得越多，亏得越多。

经济学随堂笔记

想必你一定学过“谁知盘中餐，粒粒皆辛苦”，但在现实生活中，浪费确实要放到更大的环境里去看。超市宁可扔掉临期食品也不免费赠送，不是因为管理者不懂节约，而是因为对企业来说，扔掉或销毁食品最划算。

由于市场千变万化，供需不能完全匹配是正常的。但有一个原则必须牢记：生产、进货千万不能闷头做。只有看准需求，做好调查，这样才能尽可能避免浪费。

小思考

超市如果不扔掉临期食品，你觉得应该怎么办？
你能想出更好的解决方法吗？

为什么一个杯子会卖这么贵？

某咖啡店推出了一款“猫爪杯”：杯身是透明的，杯子内层是猫爪的形状，倒入饮料后便会看到一只清晰的猫爪。为了买到这种杯子，大家清晨就开始排队，甚至还有人因为插队大打出手。

马斯洛需求层次理论

有一种理论叫作马斯洛需求层次理论，是指人的需求像阶梯一样，分为生理需求、安全需求、社交需求、尊重需求和自我实现需求。

当你穷困潦倒、食不果腹的时候，你不会有更高的需求，吃饱穿暖就行。但如果处于底部的需求已经能够轻松满足，你就会朝着更高的需求进发。我愿意花这笔钱，是因为对我来说，我觉得花 199 元买一个杯子不是经济负担，它不仅能满足我的生理需求，还能兼顾我的社交需求和尊重需求。对购买者来说，猫爪杯并不只是容器，还是用来炫耀的工具，能展现自己的品位，所以猫爪杯就算再贵，还是有人抢着买。

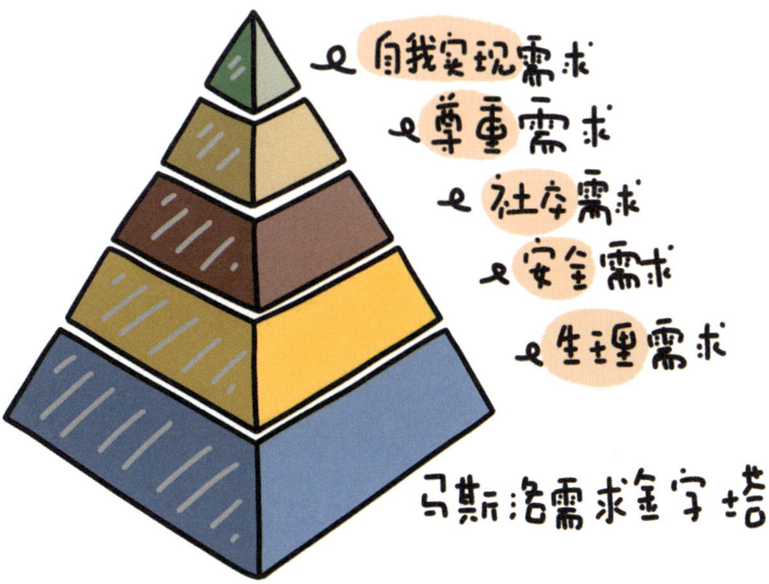

品牌的作用

同样材质、款式和做工的皮包，名牌的会贵很多。但专卖店并不担心包会卖不出去，因为背名牌包出去会很有面子。同样一件球衣，印着梅西名字的会贵一些，但买的人很多。儿童玩具一贴上孩子喜欢的动漫形象，孩子就不肯走了——这就是品牌的价值，它会带来身份的认同感、心理的满足感，让人愿意支付额外的费用。所以，一件商品有没有品牌的标志，很可能会对最终价格的确定产生重要影响。

饥饿营销

社会心理学家斯蒂芬·沃切尔在1975年的一项实验中发现，稀缺性并不是决定人们抢购的决定性因素，“争夺”才是。这个理论讲的就是利用消费者的好奇和逆反心理：越是得不到的东西越想得到，这就是“饥饿营销”。

别小看了猫爪杯，杯子经济可是隐藏在咖啡店的咖啡业务背后的另一大业

务。无论是马克杯还是保温杯，商家时不时就推出一些限量款。限量款就会导致粉丝抢购，从而吸引了更多的人加入争夺大战，随后凑热闹的人参与进来，成了新的用户。

经济学随堂笔记

购买的是猫爪杯，但它背后却可能是购买者内心满足感的折射。购买的人往往会觉得自己“很有品位”，从而收获愉悦的感受。

小思考

生活中你看到过其他饥饿营销的例子吗？说说你自己的想法。

花两三千万元吃一餐饭，到底值不值？

每年的五六月份，“股神”巴菲特的慈善午餐都会在网上竞拍，胜出者将获得与巴菲特本人共进午餐的机会。竞拍成功者最多可以带 7 个人，和巴菲特在持续近 4 个小时的午餐上尽情交流。

需要说明的是，这笔钱其实并不会进入巴菲特本人的腰包，所拍得的款项都将捐给旧金山慈善机构——格莱德基金会。大家都习惯把这个午餐称为“巴菲特午餐”，其实它应该叫作“巴菲特慈善午餐”。

那些与巴菲特共进午餐的中国人

其中有四位中国人竞得了与巴菲特共进午餐的机会。

2006年，段永平以62.01万美元成为竞拍成功者，携现在拼多多的掌门人黄峥与巴菲特共进午餐。段永平是谁？20世纪80~90年代，段永平一手创办了“步步高”和“小霸王”两家公司。如今他已经退居幕后，掌管着自己创办的一家基金公司，也是很多品牌的幕后大佬，比如大家熟悉的OPPO和vivo。

巴菲特曾在餐桌上告诫段永平“不要做不懂的东西、不要做空、不要借钱”。

> 2008年之后，午餐上诞生了一条不成文的规则：席间不谈论个股。

2008年，被誉为中国“私募教父”的赵丹阳以211.01万美元竞得与巴菲特共进午餐的机会。在用餐期间，赵丹阳主动向巴菲特推荐一只股票——“物美商业”。现场的媒体随即报道了这一消息，使得这只股票飞涨。后来，大家反应过来：赵丹阳利用了巴菲特。

2015年，拍下午餐机会的又是一位中国人：上市公司天神娱乐的董事长朱晔，最后的成交价格是234.57万美元。朱晔当时

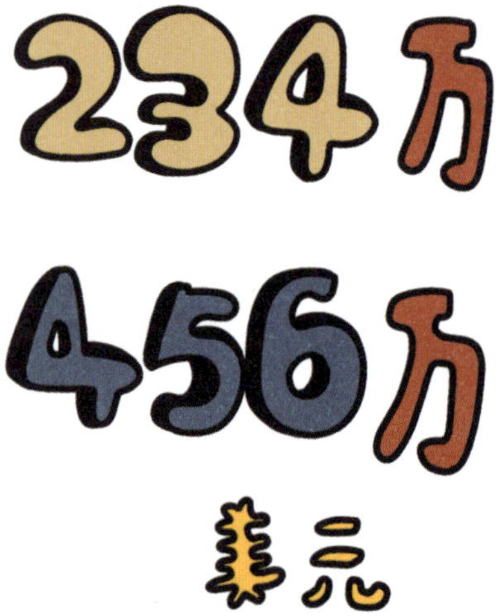

春风得意，股民也充满了信心，天神娱乐的股价一路上涨。但很快天神娱乐的巨额亏损震惊财经界，朱晔也被证监会立案调查。

2019 年，“巴菲特慈善午餐”的成交价为 456.79 万美元，中标者是区块链平台波场的创始人孙宇晨。后来孙宇晨因为身体原因，推迟了半年多才与巴菲特共进午餐。而他自己所在的行业也陷入了风口浪尖，一直到 2021 年，他的项目依然存在争议。

为什么有人会为一餐饭支付高昂的费用？

我们可以从 3 个维度来思考。

首先，竞拍者看中的并不是午餐本身，而是满足社交需求的机会。为什么同样是皮包，可能质量也差不多，但知名品牌的会贵很多？因为这个品牌本身可以满足消费者的社交需求：人们可以通过展示这个商品，向公众表达自己的审美品位或者兴趣爱好。竞拍“巴菲特慈善午餐”的人，如果能竞拍成功，他就有了和巴菲特聊天的机会，会被很多人羡慕，也提升了自己的知名度，并会因此获得各种各样的额外收获，

而这些收获会被赋予一定的价格。此刻竞拍者关心的并不是午餐本身，而是午餐所带来的其他效益。

其次，竞拍者节约了大量的广告推广费用。对竞拍者来说，与“股神”共进午餐，本身就是一个巨大的宣传机会，可以节约大量的广告费及品牌推广成本。如果没有这个机会，竞拍者想在那么多媒体上露面，让大家采访你，同样会有不菲的支出。因此，虽然“巴菲特慈善午餐”是天价，但为竞拍者的企业节省了原本需要支出的广告费用。

最后是从众心理促生趋同性。是不是每位竞拍成功的人内心都觉得很值得？或许未必，但竞拍成功的人不会把这一点说出来：一方面，这可能会得罪巴菲特

的支持者；另一方面，这也说明自己没有发掘“巴菲特慈善午餐”的价值。为了维护自己的社会形象，竞拍成功者都会选择给予“巴菲特慈善午餐”好评。历史上的好评率越高，后来者就会倾向于认可前人的评价，以免自己成为少数。这也是“巴菲特慈善午餐”拍卖价一直水涨船高但不受质疑的原因。

经济学随堂笔记

从这几位中国竞拍者的案例看，有人把这餐饭看作和偶像见面的机会，看作参与慈善的一种方式；也有人把它当作炫耀的资本、吹牛的素材。其实，你原本是怎样的人，你打算做怎样的人，吃完这餐饭后，还是怎样的人。

小思考

你觉得什么样的消费属于不合理消费？

盲盒的生意经

从 2019 年起，盲盒这种放着未知玩具的小盒子突然席卷了全国，成了备受年轻人喜爱的玩具，许多人都把它称为“新生事物”。而盲盒的“隐藏款”也被看作一种保值增值的“投资品”。

为什么盲盒的销售会如此火爆呢？

历史上的盲盒

盲盒，物如其名，就是不知道里装的是什么东西的一种盒子。盲盒买的时候不能拆开，购买后才能打开。它可能是你心仪许久的东西，也可能是你不想要的。

“盲盒”这个词听起来好像是一个新词，但实际上它并不是一个新生事物。盲盒式销售一直存在并且受到追捧，只不过它以前没有用“盲盒”这个名字罢了。

在 30 年前就有类似的东西啦！

小浣熊干脆面在当时销售很火爆，其主要原因并不是它口味独特，而是每包干脆面里都有一张随机的水浒英雄卡。

哇，水浒英雄有 108 位，你想集齐，那可不容易。

我们可以交换！

这个干脆面其实就是英雄卡的盲盒。

扭蛋也和盲盒类似吧！每次都掉出一个蛋，但里面装的东西都是随机的。

商家的福袋也是盲盒的一种！过节时，有些商家会推出一个一两百元的福袋，里面是什么东西你不知道，运气好的话，大概能买到远远低于售价的商品。

但也可能买到完全不需要的商品！

买盲盒等于“赌运气”吗？

有人说，要抵制买盲盒，因为这有一种“赌运气”的成分。其实盲盒和赌博、甚至买彩票最大的不同在于：购买到的盲盒可能“不合心意”，但购买者终究会得到一件明码标价的商品。而赌博或者彩票则有“输家”。

例如，有人用100元买彩票，但最后什么都没得到。买盲盒并不存在“两手空空”的可能性，它只是“你买到的”和“你想买的”不一致。

而盲盒产品本身就符合玩具的定价体系，因此它更像一种销售策略，而不是赌博。

盲盒促进玩具销售的原因

市场上主流的盲盒玩具，价格在50元左右，这个价格设置得十分微妙：乍一看好像觉得有点儿贵，但仔细一想，可能单买一个小手办就要100多元，随便一个小玩具都不止50元。但一旦买了第一个，就停不下来了，最后的消费往往大于单独购买的支出。

不确定性的刺激

5个一套的盲盒玩具，理论上250元就能买齐，但你会发现，有一两个怎么都买不到。越买越不甘心，你还可能买了不少重复的，最后花了六七百元才凑齐。这是因为，“不确定性”往往能刺激一些非必需品的消费，人们购买的不仅仅是商品，还是一种对好运的期待。

这种随机性还会带来一些社交效应。大家在买盲盒时，很容易会遇到有同样爱好的人，并且会在一起讨论、分享和交换藏品。

为什么人们会有“我运气那么好”的错觉？

谁都知道，凑齐一套盲盒的商品其实并不容易，那为什么购买的人会觉得自己能集齐呢？

因为商家深谙销售心理学，在运气这件事情上，人们往往会高估自己。商场抽奖的时候，看到别人抽到好的奖品，觉得自己来一把也行；有人中了大奖，彩票投注站门口会挂横幅“恭喜我站购彩者喜中奖金500万元”，接下来就会有很多人到这里排队购买彩票。

绝大多数人都倾向于相信“好运即将到来”，从而让自己的生活态度更加积极，而这种心理也助推了盲盒销售。

经济学随堂笔记

盲盒消费需要理性，它的隐藏款未必真的保值。如果厂家追加生产，那它在二手市场上的价格肯定会大幅下跌。即便是真的限量，隐藏款往往也没有那么大的交易市场需求。

小思考

盲盒更适合玩具这个门类吗？

联合IP都能一加一大于二吗？

什么是联合 IP？

IP 是知识产权的英文 intellectual property 的缩写。

联合 IP 是商业合作中常见的一种现象。本来属于两家企业的产品变成了一个联名产品，从而使双方的影响力获得提升。

还有中美合拍的动画片《哪吒与变形金刚》。

一些服装品牌就经常和一些影视作品合作，推出印有作品中人物形象的系列服装。

优势与风险

联合的优势

叠加效应就是联合 IP 的优势。就以动画片《哪吒与变形金刚》来说，最优的结果就是影片可以吸引喜欢哪吒的人和喜欢变形金刚的人，两个都喜欢的人更是兴奋异常。

许多品牌期待的也是这样的叠加效应：都希望认可对方品牌的人也能同时喜欢自己。联合 IP 有许多成功案例，比如某个 IP 形象和某服装品牌的联名款衣服，因为数量有限而被哄抢。在一些商场，我们还能看到餐饮店和电影院的互动，比如凭电影票根吃饭享优惠或凭餐饮小票看电影打折，都属于品牌的联合。它让双方都获得了更多的消费者，是品牌取得双赢的具体呈现。

联合的风险

品牌的联合不能率性而为，这是一件需要谨慎考虑的事情，它主要存在两个风险。

一是要判断联合是否会影响两个品牌各自的用户。这其实是一笔很好算的账：如果从别的品牌那里来了 100 个新用户，但因为让老用户体验不佳，老用户丢失了 200 个，那联合就不是一件值得做的事。哪怕品牌之间不存在竞争关系，这样的风险也是存在的。

二是任何一个品牌都在共享对方美誉度的同时，也承担着对方遭遇的公关危机给联合 IP 带来的风险。例如，A 品牌和 B 品牌做了一次品牌合作，看起来很成功。但一段时间后，B 品牌的其他产品出了问题，导致消费者不断投诉。明明这个产品和 A 品牌没什么关系，但 B 品牌的用户也会迁怒于 A 品牌。这使得品牌的联合得不偿失。

适合联合 IP 的品牌特点

双方的体量相对接近

两个品牌的总用户数、认知度、美誉度都能够匹配，就算有差异，也不会太大。例如，家门口的小卖部就很难和大型连锁餐饮店做联合会员活动。因为小卖部能影响的用户数量远远小于大型连锁餐饮店的。如果小卖部想要用大型连锁餐饮店的产品吸引顾客，那它只能去购买大型连锁餐饮店的产品，让出一部分利润来吸引顾客，大型连锁餐饮店是不太可能和小卖部联名合作的。因为对大型连锁餐饮店来说，小卖部能带来的顾客实在太少了，不值得花费自己的时间和精力。

双方不存在直接竞争关系

以两家体量相近的汉堡店为例，让它们出一张联名会员卡，可能性几乎没有。因为这两个品牌属于直接竞争关系，到一家消费，就意味着不到另一家消费，因此双方并不能通过这样的合作实现共赢。只有不同行业的合作，消费者才不能同时成为所有联名企业的用户，比如我既可以在你这里看书，又可以在他那里买饮料，同时还能够在另外一个地方看电影，这样的合作往往会有更好的叠加效应。

经济学随堂笔记

每一个成功的联名品牌的出现，背后都有非常细致的评估。如果只想从对方那里获得新用户，而忽略了老用户的需求，那联合 IP 就很难取得预期的效果。

你家门口小卖部最好的联名对象是谁？

为什么在经济低迷期，奢侈品还会涨价？

在经历了几轮高速增长之后，世界经济进入了相对低迷的时期，尤其是 2020 年，全球经济都经历了一次巨大的挫折：企业产能降低，人们收入减少，市场变得沉寂。除了一些生活必需品，许多商品就算促销也无人问津。

奢侈品的投资属性

很多人觉得购买奢侈品就是浪费钱——从价格来看，可能确实如此。名牌包和普通包在实用程度上并不会有太大的差异。在生活中，我们也提倡大家量力而行，不要迷恋奢侈品，影响自己的正常生活。

但如果我们把它们挂在二手交易平台上，比如同样打 7 折，有意思的情况就出现了：名牌包可能被哄抢，普通背包可能无人问津。

如果你第二年再去商场，还会发现一个更有意思的情况：你原先买的包并没有降价，如果是经典限量款，可能价格还涨了很多；而普通背包早就下架了。由于经济低迷期没有更好的投资品，使得奢侈品变成了较好的投资选择。出于投资心理购买或是出于在涨价前入手的心理，都是引起人们抢购的原因。

奢侈品的社交属性

奢侈品产业比其他产业更具韧性。不能单单从商品价值上来看，而要从它带给人们的感知价值来看，也就是购买者试图通过购买某个品牌的奢侈品来证明自己属于哪类人。

奢侈品不仅可以表达“我有钱”，还可以表达“我有品位”“我认同某个品牌宣传的理念”。人们在获得优质产品的同时，对外传播个人信息。如果一个人的收入摆脱了温饱阶段，那他就会寻找认同感，通过日常的购买行为来表明自己“是一个怎样的人”。

奢侈品消费与“口红效应”

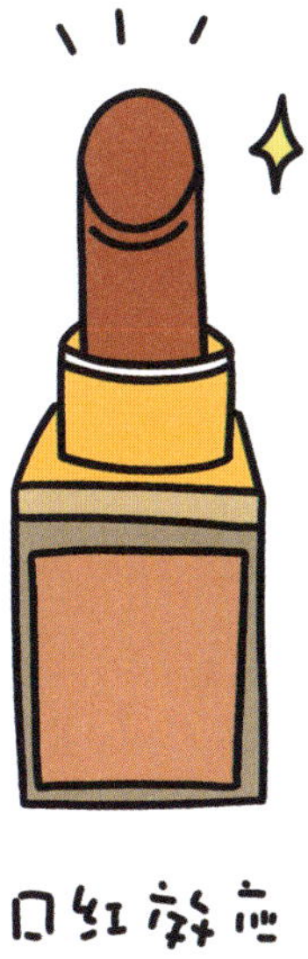

事实多次证明，全球经济的衰退，人们收入的降低，并没有对奢侈品产生致命的影响。实际上，自 2008 年经济危机以来，几乎所有奢侈品类别的业绩都超过了非奢侈品类别，奢侈品行业遭受的冲击要小于其他行业，而且反弹速度要快于非奢侈品行业。

在经济学领域，有一种理论叫口红效应——这是经济学家在 20 世纪 30 年代美国经济大萧条时期提出的。当时的学者发现，虽然经济不景气，大家的收入普遍降低，生意越来越难做，但口红之类的化妆品和文化类的产品却出现了大卖。这是为什么呢？

一是人们的收入降低了，但开支也降低了。在经济萧条时期，收入和人们对未来的预期都会降低，这时候首先被削减的是那些大额消费，如买房、买车等。当这部分支出减少后，人们有时候会比经济繁荣时期有更多的闲钱。奢侈品再贵，也无法和那些大额支出相比。

二是人们的生活品质降低了，但不少人的生存并没有遇到问题。这部分人放弃了买房、买车等相对大额的消费，但仍然需要通过一定的消费来让自己保持良好的生活状态。奢侈品就成了满足这种需求的产品。

从总数上来看，这种替代效应远远大于因收入降低而减少消费的收入效应——这就解释了为什么口红等化妆品、奢侈品反而会在经济不景气的时候逆势热销。

经济学随堂笔记

根据马斯洛需求理论，人的需求有生理需求、安全需求、社交需求、尊重需求、自我实现需求5个等级构成，而经济低迷率先影响的是更高端的一些需要——例如，人们无法通过环球旅行获得愉悦感，无法通过好车好房证明自己很成功。因此，价格看似不划算但总额尚可承受，同时具备一定投资功能的奢侈品就成了最好的选择。

如果经济非常低迷，到了影响生存的地步，人们的收入必须用来购买食物，那奢侈品是不是涨价也不成为问题——因为就算亏本卖，也没人买了。

小思考

做一个小调查，看看你的父母在对待奢侈品的意见上是否一致，分析一下他们的观点。

为什么经济形势不好的时候，股市也会上涨？

企业为什么要发行股票？

企业发行股票，就是通过出让部分股份，获得公众，也就是股民的资金。企业用这些资金来扩大生产、做研发，让企业发展得更好。企业发展好了，盈利多了，持有股份的股民就能获得企业的分红。于是，会有更多的人来购买企业的股票，股票价格就会上涨，企业能获得更多的资金，原来的投资者也可以通过卖出股票获得收益。

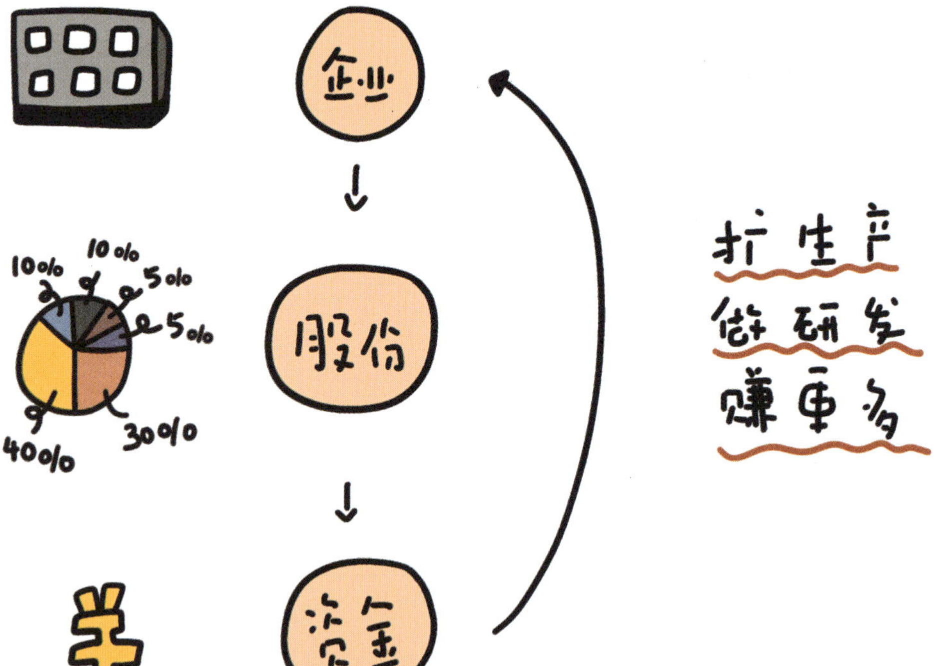

股民购买的是什么？

股民购买的并不是这家企业的现在，而是它的未来。股民相信这家企业在未来会发展得更好，才会购买这家企业的股票；如果认为它未来发展得不会很好，就会把手里的股票卖掉。所以，股价是一个先行指标，是大家对未来的预期。这个预期可能正确，也可能不正确。

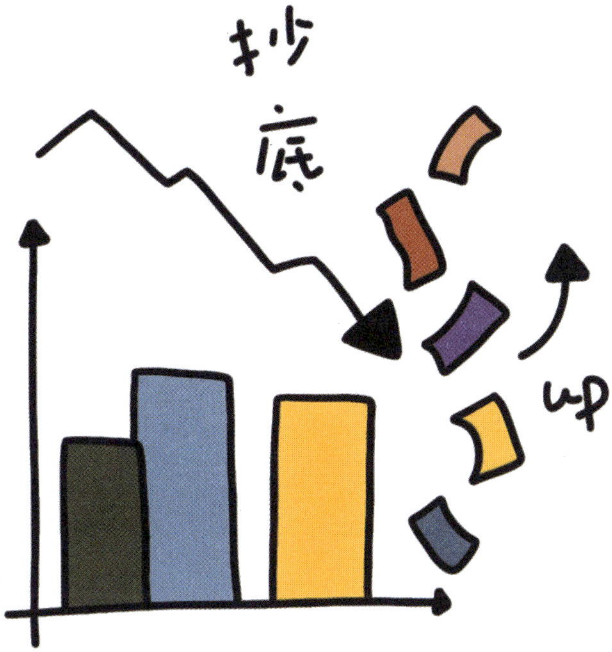

在经济形势不好时，大家会觉得目前的经济状况已经糟糕得不能再糟糕了，未来这种糟糕的状态也许会持续，但总不会更差。大家对股市的预期也一样，会认为上市公司不会变得更差了。于是，很多股民就会开始抄底。抄底的资金一多，股市自然就上涨了。

chāo dǐ
抄底

抄底是证券业术语，意思是以某种估值指标衡量股价跌到最低点，指在短时间内大幅下跌时买入，并预期股价将会很快反弹的操作策略。但究竟什么样的价格“最低”，事实上很难判断。

另外，在经济形势不好时，也会有不少人把现金拿在手里，持观望态度。但因为现在银行理财产品的收益较低，人们又不敢进行大额消费，于是股市又成了一个主流的投资选择。多种因素叠加在一起，就让股市活跃了起来。

但对股市的预判从来不是绝对的，不跟进其他人的投资选择也是合理的。

股民的投资心理

当有人说股市会跌或者会涨的时候，是出于悲观或者乐观的判断吗？其实并不是。这里还有一个有趣的投资心理在起作用：说股市会跌的那一部分人未必心里真这么想，可能是因为他们想要购入股票，希望通过这样的说法让持有股票的人在低位继续抛售，使得股价继续下降，从而他们可以在更低的价位买入，实际上他们的对未来股价的看法是乐观的。反之，说股市会涨的那一部分人往往手里持有股票，所以他们希望自己手里的股票价格能上涨，并希望有更多的投资者会来购买股票，从而他们可以高价卖出，而他们对未来股价的看法也可能是悲观的。

所以想买入股票的人，再怎么说股市会跌，他都是潜在的购买股票、推动股价上涨的人；想卖出股票的人，再怎么说股市会上涨，他都是卖出股票、导致股价下跌的人。

经济学随堂笔记

在股市里，千万不能听风就是雨，需要有自己的判断，这真不是一件容易的事。

经济下行和股市上涨并不矛盾，而是一种对未来的预期。

小思考

你认为经济形势不好时，持有现金是最佳选择吗？

为什么很多效益好的大公司也会突然倒闭？

新冠肺炎疫情的发生，导致很多企业停工或者延后开工，有些企业则让员工在家办公。但是，并不是每个行业在开工后就能够恢复正常运行。一些企业，甚至是名气比较大的企业都开始担心生存问题。

这些企业的市值不是很大吗？不是很能赚钱吗？为什么会撑不住倒闭呢？

企业倒闭的原因

企业倒闭的原因纷繁复杂，业务管理、财务制度、市场决策等，每家情况不同，这里无法一一讨论，只能探讨在特殊情况下，导致大企业骤然倒闭的最主要的几个因素。

企业越大，硬性成本越高

所谓硬性成本就是不管发生什么事，无论业务是不是展开，是不是盈利，企业必定要付出的成本。

员工的工资

企业在招聘员工时，会与员工签订劳动合同，其中约定了工资标准。工资中可以有一部分是提成，但必须要有底薪，并且它不能低于最低工资。此外，企业必须缴纳员工的社保费用、医保费用等，这些都是强制性的，不能暂停。也就是说，哪怕有员工愿意和企业共同进退，一分工资不要，企业依然需要按照上一年的平均工资标准，缴纳员工的各项社保费用，一旦中止，就违法了。

这意味着企业越大、员工越多，人力成本就越大。

房租

绝大多数公司的办公场地都是租借的，正常情况下这部分费用并不会因为员工不上班而减少。这意味着企业规模越大，这笔支出越惊人。如果刚开了一批连锁店，就不巧碰上了不得不停工的状况，企业依然需要场地和租金。

员工工资和房租是一个企业支出的大头，不同行业还会有各种各样的必要支出，比如有的公司需要额外支付安保费用，有的公司需要支出各种服务类的费用，它们都不会因企业的停摆而中止。

违约风险

对于大企业，有一个风险是致命的——违约风险。如果企业有一些订单或项目需要在近期完成，但万一没办法准时完成，也没有办法得到对方的谅解，那企业就面临着违约和索赔。

一个煎饼摊，现场买、现场做、一手交钱一手交货，整个消费流程很短；而许多行业并不具备短流程的条件——比如说预订 3 万件毛衣，合同上说 3 月底交货，拖到 4 月就不要了。一旦出现拖延或无法完成的情况，企业就要付出巨大的违约成本。

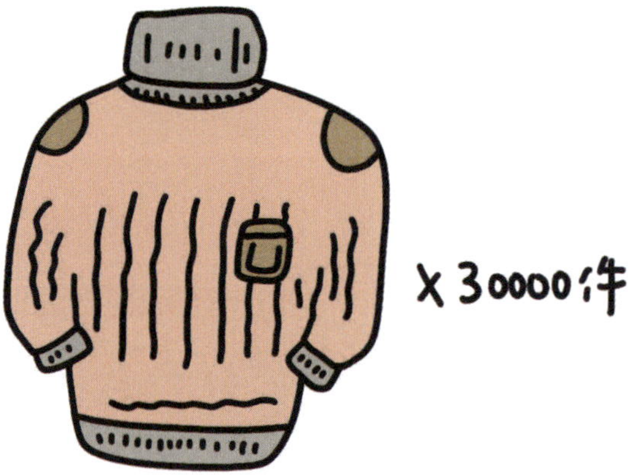

现金流

我们都知道企业越大、经营规模就越大，要付出的成本越多。但是，大企业赚的钱也多呀?

这个时候我们就要分析一下企业的现金流问题了。

一般来说，企业账上的钱越来越多，下一步就是扩大生产。一家餐厅成功了，就会开个分店；一个项目探索成功了，就去复制推广。如果有投资人，那企业这种“做大做强”的意愿会更强烈，大家都期盼规模和利润能呈几何级数增加。例如，开一家店成本一万元，每个月能赚一千元，过了一年，老板有1.2万元时，不是想着花掉，而是会再开一家店、两家店……这样每个月就能赚得更多。所以，许多企业的现金流并不充裕。

当企业遇到外部风险时的应对方法

应对特殊情况，比较考验企业决策者的判断力，应该要根据外部实情来转变经营方式，一个不明智的决策可能给企业带来无法预见的经济危机，导致企业倒闭。

比如可以根据企业业务的类型进行拆解，传统线下经营的企业如果无法进行线下经营，可以把部分业务转移到线上。很多线下培训机构在无法在线下开课的情况下，迅速推出了线上课程，在保证学员有课上的前提下，还能发展出不少新用户。

线上经营与线下经营两者兼具的企业可以把重点放在线上，做好用户引流，增加收益；线上经营的企业则可以继续保持其经营方向，拓展产品消费群体。

经济学随堂笔记

企业规模越大，利润可能也越可观，但同样的，风险也会增加。所以除了如何赚钱之外，如何规避风险也是企业需要研究的课题。

小思考？

你觉得导致一个大企业出现风险甚至倒闭的原因有哪些？

直播带货动不动就销量破亿，你信吗？

2020年，淘宝的“双十一”购物节，参与直播的主播们很多都创造了破亿的销售额。

这个数据是真的吗？

网民们真的这么有钱吗？

动不动就销量破亿，这些数据到底是真实的还是掺水的呢？

直播带货

伴随着4G网络和Wi-Fi的普及，直播带货开始出现，并步入大众视野。在以前，它是人们购物形式的补充，现在，直播带货的地位大幅提升，迎来了爆发期。直播带货的主要表现形式为：通过视频直播，实现商品的销售。

相比以图文等平面呈现方式为主的线上购物，直播以更直观的展示、更频繁的互动、更优惠的价格吸引了很多消费者的关注。和线下相比，它无须租赁店面或柜台，“主播 + 商品”就可以直接构成销售的主要形式，并且能和五湖四海的消费者实时沟通。因此，直播带货成了最重要的营销方式之一。而直播带货的特点是：卖方可以在不租赁柜台的情况下推荐商品；销售人员或者主播可以通过网络和消费者互动；消费者足不出户就可以根据主播的展示决定是否购买商品——它们共同构成了移动互联网络普及后的新购物方式。

直播成交额的算法

我们常常听到一些主播令人吃惊的直播成交额，事实上，这里有两个比较容易混淆的概念：直播成交额和销售额。所谓的直播成交额其实是GMV（Gross Merchandise Volume）的总数据。GMV就是商品总价值量，主要是电商网站的成交金额，包括付款金额和未付款金额。

电商购买的流程是消费者下单、付款，货款先由平台保管，等店家发货、消费者确认收货之后，店家才会收到货款，一笔交易才算是完成了。而“双十一”时更复杂，消费者要先付定金、尾款，然后才是店家发货等一系列流程。所以，这个GMV实际上是这一系列流程中产生的所有费用，是销售额、取消订单的金额、拒收订单的金额、退货订单的金额的总和。

举个例子，一家网店 X 收到了如下订单。

消费者 A：交易已完成，X 收到了订单总额 2000 元。

消费者 B：已付款，但未确认收货，网店 X 的未到账订单总额为 1500 元。

消费者 C：已下单、未付款，后又取消了订单，总额 1000 元。

消费者 D：已付款，但是 X 认为这位消费者要求无法满足，拒绝了订单，总额 800 元。

消费者 E：已付款，收到货后要求退货，退款总额 500 元。

我们认为的销售额应该是：A+B=3500 元。而且由于 B 还没有确认收货，X 真正的销售额只有 A 支付的 2000 元。但按照 GMV 的算法，成交额是：A+B+C+D+E=5800 元。

直播成交额的水分

与传统销售相比，直播成交额似乎总会出现让人难以置信的大额数字，比如成交额几亿元——这当然代表了新生事物的潜力，但事实上，未必有那么多真实的消费者在购买商品：除了正常的退货，也有一些主播会通过找人购买再退货的方式来增加成交额，出现这种现象的原因主要有两点：主播需要以此证明自己的带货能力，从而获得更多的商业合作机会；平台也需要数据来证明自己的影响力，从而吸引更多主播和商家的入驻，

因此，除非有大量举报和监管部门的要求，平台本身处理虚假销售的动力并不大。因此，我们要冷静地看待那些天文数字般的直播成交额。

平台扶持某个商家或者主播，让其获得巨大的成交量，宣称成交额过亿。

商家或主播明明知道这个数字被夸大了很多，也会欣然接受，因为有面子，并且能带来更多的商业机会。

更多的人被这些数据诱惑，参与这个行业，成为带货主播或者商家。

新来的主播或者商家似乎很难取得想象中的收益，于是会购买平台的各项服务，比如推广位、广告页面，认为有人取得过不俗的成绩，只是我没做好，所以要加大投入。

这些投入可能带来新的数据夸大，导致新一轮的循环。

直播带货的主播作为新职业的特点

直播带货的主播被很多人认为是新职业，但你如果做一些同行业类比，就能发现它的核心是“线上营业员”，即通过线上直播完成商品的介绍及销售。主播既需要具备高超的表达技巧，也需要专业的能力。他的个

人信誉与职业前景有着密切的关系——如果你在线下门店遇到一个不专业的营业员，可能会影响你这一次的购物意愿，但只要店里更换另一名专业的营业员，你依然会在这家店购物；但对带货主播来说，如果他不专业或有不诚信的行为，那他未来所有的销售都可能受到影响。

从社会分工来说，带货主播是一个以个人信誉为主要依托的线上营业员。

经济学随堂笔记

在互联网非常发达的今天，电商平台非常重视数据。而对大众来说，擦亮眼睛，看清数据的真实性，不盲目跟风很重要。直播成交额越多，就越会让大家以为这个行业有前景，就有更多的店家、主播以及消费者加入。但真正在其中获利的其实寥寥无几。

小思考

直播经济是长久的吗？你觉得所有产品都适合直播销售吗？

在"双十一"购物真的更便宜吗？

说到"双十一"购物节，大家都知道。在这一天，很多商家都会打折促销，平台也会有很多优惠，是一个囤货的好日子。

2009年，淘宝率先在这一天发起了打折活动，"双十一"购物节在一片火热中横空出世。从淘宝、京东到苏宁易购，从线上到线下，在"双十一"淘便宜货成了消费者的共识，每年围绕着"双十一"开启的购物大战也如火如荼。

"双十一"成为购物节的历史其实并不长，在2009年之前它一直被称为"光棍节"，是单身汉的节日。

那"双十一"背后的门道是什么，我们又该怎么去探知这个"折扣"的真相呢？

商家的优势

其实在“双十一”购物节前，人们对于折扣并不陌生，任何一个品牌的产品都有可能以折扣的方式吸引消费者。打折销售有两种不同的目的。

一是吸引消费者，提高品牌认知度。新品牌店开业会打折，比如“本店开业，前 3 天全场 7 折”，目的是提升潜在用户到店的可能性，让大家注意到这里有一家新店，从而有可能在未来产生后续消费。

二是清理库存，增加现金流。一些品牌打折很可能是为了把仓库里积压的产品销售出去，从而获得更多收入。例如，食品快到期时往往折扣力度非常大，不然就要扔掉；要换季了，过季的服装也会有折扣，为的是清理货架和库存，把位置留给新一季的产品。

不少消费者会选择在打折时购买商品，以节省支出。但由于不同品牌不同产品的折扣时间并不一样，人们并不具备“集中采购”的条件。例如，在某商场，某品牌的服装正在以5折销售，但旁边的鞋店和食品店没有折扣，你就未必有在这个商场买东西的意愿。

而“双十一”购物节所有品类的折扣时间高度一致：不管是服装、电器还是食品，都会在这一天打折——这就意味着，人们不必花时间去看到底这一天哪个品牌在打折，反正全打折。它直接满足了人们“购买各个品牌的打折商品”的意愿，激发了人们的消费热情。

折扣的复杂化

折扣的复杂化是近年来市场较为明显的趋势，“双十一”的折扣活动就是一个典型案例。所谓折扣复杂化，即折扣的方式越来越多，使消费者耗费的时间也越来越久，计算越来越复杂。

从历史看，折扣演变分为下面这几个阶段。

第一个阶段是较为纯粹的折扣阶段。即商家在活动期间的销售价格低于日常销售价格，以薄利多销的方式获得更多的利润。对消费者而言，只要在规定时间内购物就可以享受折扣。

第二个阶段是折扣＋社交的阶段。即消费者需要完成一定的任务，才能获得满意的折扣，该任务往往与分享有关。例如，需要通过邀请更多朋友参与相关活动来获取优惠。对消费者而言，要完成的主要任务是邀请更多人加入。

第三个阶段是折扣＋预付或折扣＋社交＋预付的阶段。即除了前两种情况外，还需要提前支付少量订金，以锁定优惠价格。对消费者而言，要完成的主要任务是分两次完成支付。

商家通过这三大阶段完成了对人们消费心理的重建，即人们在购物平台停留时间、活跃程度和最终折扣形成了对应关系：活跃程度越高（如分享多、停留时间长等），折扣力度就越大；活跃程度越低，折扣力度就越小。

对行为依赖的奖励

复杂的折扣规则也是在对消费者进行分类，本质上是对消费者行为依赖的一种培育与鼓励，即习惯于在某个购物平台上停留更长时间的人，就有可能获得更多优惠，而因为有更多的优惠，也就产生了更多的购物可能。

而愈加复杂的折扣规则，也有利于平台和商家获得更高的利润：有的人懒得研究规则，依然会高价购买；而有的人仔细研究规则，以较低的价格购买，但依然有可能花费更多，因为买的东西更多了。因此，所有人都会被榨取出利润来。

经济学随堂笔记

作为统一打折期，“双十一”购物节确实能买到价格更优惠的产品。较低的物价可能增强人们囤货的意愿，但优惠活动也会导致人们购买更多不需要的商品，从而导致消费总量的增加；更多优惠活动会以“占据消费者时间”的形式去实现，消费者在花费时间时实际上也付出了对应的劳动成本，成了一名广告宣传员或者平台测试员。而这部分劳动所对应的酬劳价值很可能大于实际获得的优惠。

小思考

你怎么看待时间和金钱的关系？在什么情况下你会为了省钱去花费更多的时间？

假货和便宜货为什么不能混为一谈？

假货是人们在消费过程中经常遇到的问题。

明确告知假而便宜

假冒伪劣商品可以分为假冒商品和劣质商品两种。为什么会出现这类商品？原因很简单：利益驱动。

产品冒充别的品牌，销量会更高；商家降低产品的质量标准，可以降低成本，从而获得更高的利润。如果不告知消费者实情，显然属于欺诈行为；但如果告知消费者实情，并以“更便宜”作为卖点，会发生什么呢？

有一个非常重要的因素——标准，被忽视了，比如食品安全标准、添加剂含量标准、保质期标准等。这些强制标准决定了商品的安全性，也保护了消费者的基本安全。

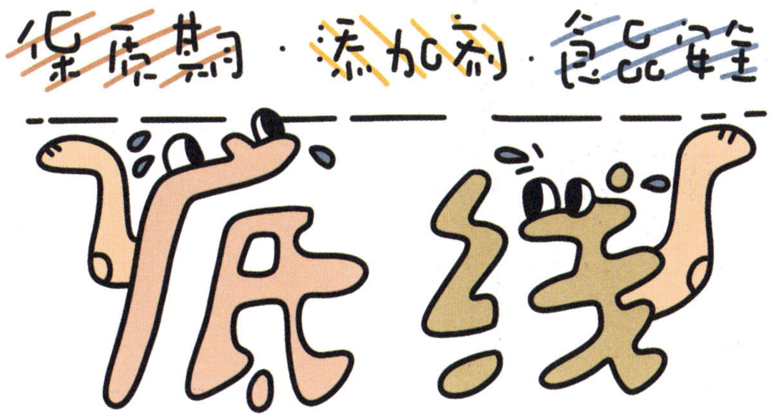

价格便宜的底线是合格，如果一家企业生产的商品低于这个标准，那就可能引发各种安全问题，也会严重影响其他合法企业的正常运营。为什么假冒商品和正品材质、做工一样，价格会更便宜？因为它无须付出研发设计的费用、宣传推广的费用。例如，某品牌每一种型号的玩具都是由专业设计师花费很长的时间研究出来的，经历了多次修改和完善，背后是一个团队的辛苦劳动。如果是动漫人物，还需要获得授权；而盗版的玩具只需要买一套正品回去，照葫芦画瓢就可以了。

因此，就算买卖双方都认可这样的行为，这种行为本身对市场的危害也是巨大的。

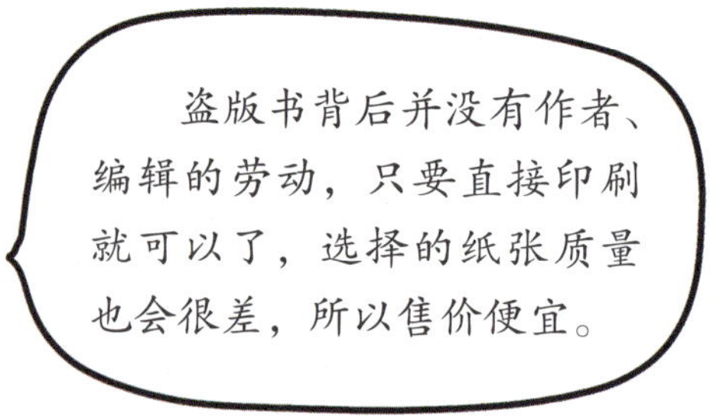

不知情的陷阱

一个需要你知道的真相是：即使买卖假冒伪劣商品的双方都知情，但他们还是希望其他人不知情。

购买劣质产品的人，可能是用于再销售，比如用劣质零件拼装车辆，用劣质调料烹饪食物，这么做的目的都是为了降低成本，让消费者在不知情的情况下支付和正常商品一样的费用。

人们购买仿冒产品的主要目的是让别人误以为自己买的是正品，从而满足自己的虚荣心。

而人们购买便宜货，一般会强调买得划算，关注的是产品本身的使用，而不是品牌价值。

经济学随堂笔记

市场经济的特征是竞争，而这种竞争应该是建立在公平、公正、公开、有序的社会环境下，如果一个国家或者社会放任生产、销售假冒伪劣产品的行为，将极大地破坏投资环境，使国内外投资者和先进技术的拥有者对他们的投入能否得到应有的回报表示担忧和疑虑，从而让这个国家丧失了获得先进技术和资金的机会，最终这样的环境也会影响国内消费者获得更好的产品。

小思考

只要商家坦诚相告，双方都知道是假冒伪劣产品，就不算违法和欺诈吗？

为什么玩游戏容易上瘾？

作为休闲娱乐的方式之一，网络游戏和电子游戏本身就有存在的合理性，它们也不是什么洪水猛兽，有些游戏还被纳入了电子竞技的范畴，成了一个规范的体育项目。大家不仅能在游戏中放松，还能学会团结合作、发挥想象力……但并不是所有的游戏都适合未成年人。有相当一部分游戏出于获利的目的，总会偷偷使用一些手段，让大家不由自主地停留更长的时间或花费更多的钱。

游戏的商业目的是最大限度地盈利

任何一款游戏都需要成本投入——从设计到运营，每个环节都需要人力成本和时间成本。如果是较为复杂的游戏，它的成本甚至不亚于制作一部大电影。即便游戏上线了，也需要对市场销售团队和客服人员进行培训，成本支出依然存在。因此，任何一款游戏都必然会要求收回成本，获得利润。在现有的游戏市场上，主要的盈利模式有 3 种。

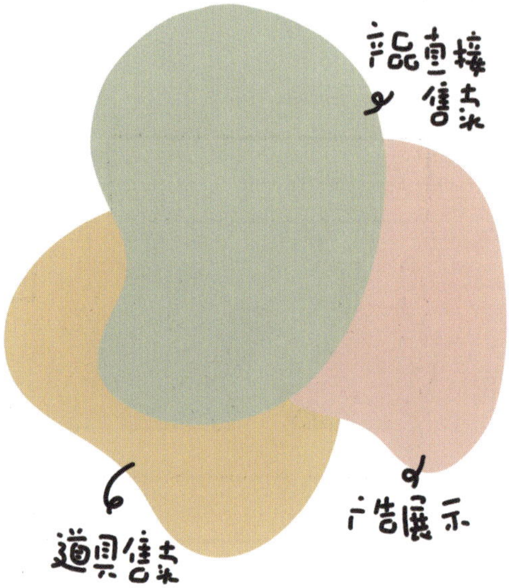

产品直接售卖式

用户需要通过付费进入游戏。所有的钱都需要在玩游戏之前支付。

道具售卖式

有些游戏是免费的或者价格比较低，用户并不需要支付太多的费用就可以玩，但游戏内会显示充值界面，不断引导用户去充值。它的主要营收来自玩家在游戏过程中的额外购买，比如游戏中会出现推广页面，告诉玩家首充 6 元可以获得一个新英雄，充 648 元可以获得一批进阶道具，一口气变成高手。很多手机游戏都会采用这样的方式来获得收益。

广告展示式

游戏是纯免费的，但玩家要获得更好的体验，需要点击广告。它的营收不直接来自玩家，而是来自广告商。例如，玩到一半，游戏中的角色没体力了，游戏会弹出一个窗口，你看 30 秒广告后，角色可以恢复体力。

这 3 种模式基本上是目前游戏领域主要的盈利模式，也有结合使用的，但一定会以其中一个为主。认清这 3 种盈利模式，对我们了解游戏的盈利目的有很大的帮助。

有效市场假说

为什么玩游戏容易上瘾？我们可以从两个方面来分析。

及时反馈

对于生活中的很多事情，我们是很难得到即时反馈的，比如做题、背课文等，就算你很努力，这一切也并不能立竿见影地反映到成绩上。成绩的提高很多时候都是一个慢慢积累的过程。

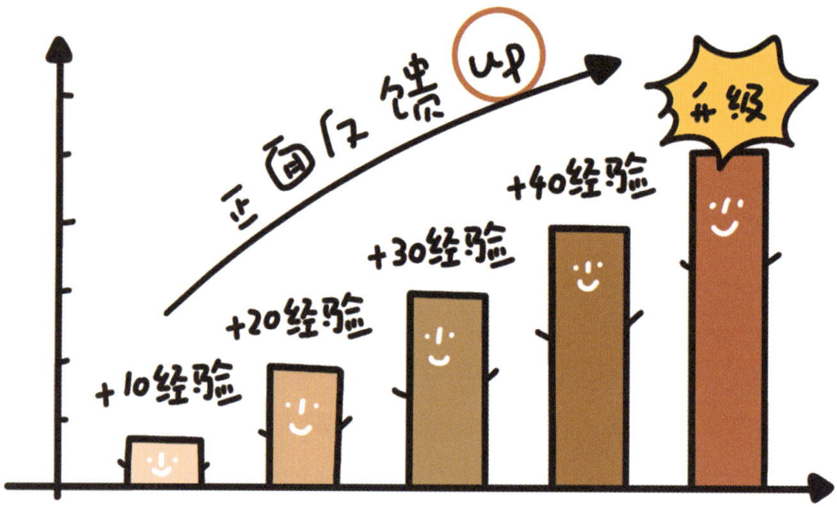

网络游戏就不一样，你每完成一个任务就会获得一定的经验或成就，这个就是正面的反馈；当你的经验积累到一定程度时，你就会升级，这也是正面的反馈；升级后你可以得到更强的属性和装备，也是正面的反馈……在网络游戏中，你每完成一次任务都会得到一定的正面反馈。

例如，你完成了 10 个任务，知道自己还需要最后 10 个任务就可以升级了，那么你会很积极地完成任务，但是如果你完全不知道还需要完成多少任务才能升

在经济学领域，这一现象较为接近有效市场假说，这一理论有部分内容是：当一个信息充分展现在你的面前，告诉你它未来的趋势时，你会更容易投入钱和时间以促成它的实现。

级，那么你也就没有做任务的欲望了。网络游戏在不同的阶段都会明确告知玩家进度，让玩家在不同阶段都有一定的动力，这就是玩游戏容易上瘾的主要原因。

比较环境下的消费冲动

如果所有玩家都秉持不充值的策略，大家的游戏体验近似，每个玩家的消费意愿都不会太强。但如果有的玩家在游戏中通过充值获得了非常好的游戏体验，这便会形成一种传导效应。付费玩家在游戏中的每一次行动都是对免费玩家的广告攻势，如果免费玩家不想放弃游戏，就会进行充值，否则就无法取得和大多数玩家一样的游戏进展。

不过，当游戏设置的上限已经被很多人完成，玩家的动力往往也丧失了。例如，一个游戏的满级是 100 级，全服务器大部分人都满级了，那玩家再玩的意愿就不强

了；而每一次引导付费，都会流失一批暂时不愿意付费的玩家，最终导致玩家越来越少。当玩家的数量不够支撑游戏的运行和维护时，游戏的寿命也会宣告终结。

经济学随堂笔记

喜欢玩游戏本身并没有问题，但如何摆脱游戏的“控制”确实是一门学问。例如，原本我们能在晚上6点的时候做很多事情，看电视、看书、聊天、吃饭等，但因为某款游戏6点有一个签到活动，我们每到6点就准时去签到，那就有了游戏上瘾的征兆。

有两种方法可以测试自己有没有被这些花招控制。一是阻断，这里的阻断并不是不玩，而是隔一天，甚至隔一周，故意中断某些需要连续完成的任务，看看自己是否依然有好的游戏体验。二是控时，即减少时间，从玩两小时缩减到一小时。这两种方法的严格执行者，哪怕对某款游戏表现出了高度的兴趣，短期内玩得热闹，也不太容易上瘾。

小思考

你觉得阻断和控时这两种方法还能用在什么事情上？如果你觉得有效，分析一下有效的原因。

口罩到底能不能涨价？

因为新冠肺炎疫情，口罩曾一度出现短缺的现象，直接导致了其价格的飙升。

坚决不能涨价，涨价的都是黑心商家。

应该涨一点儿，因为一旦涨价，就会促使更多人参与到口罩生产中，能够缓解口罩供应的压力，最后达到新的价格平衡。

涨价这种做法在当时其实是不被支持的。自新冠肺炎疫情发生之后，中国有多个省份的药店因为哄抬口罩价格被惩罚。

口罩到底能不能涨价呢？为什么不能让价格根据市场需求自行调节呢？

供需理论

我们先来看一个经济理论——供需理论。这个理论的落脚点是找到价格与产量的“均衡点”，表现出来的形式是：商品的供给大于需求，则商品价格下降；如果供给小于需求，则价格上涨。如此反复，最终达到价格“均衡点”，即商品的供给等于需求时。

对商家来说，当商品产量高于这个“均衡点”时，供过于求，商品会滞销。为了消除库存，商家就会降价打折，甚至有些商家觉得赚不到钱，退出这个行业。

当商品产量低于“均衡点”时，供不应求，商家就会抬高价格，导致消费者对商品的需求量下降，而再次达到价格和产量的“均衡点”。

市场自动调节和政府介入

有了供需理论，我们就可以理解，为什么新冠肺炎疫情刚刚暴发时口罩价格疯涨，为什么早期投入这个行业的老板可以赚得盆满钵满。

新冠肺炎疫情突然暴发，口罩的需求量陡然上升，因为没有足够的供应量，口罩价格上涨、越来越多的厂家参与口罩生产提高供应量，这些都是市场的选择。按照供需理论，让市场自动调节，直到重新达到新的价格和产量的“均衡点”就

可以了。为什么我们还是会看到有政府参与，发布政策抑制口罩涨价呢？这是因为短期的过度需求导致市场出现了不合理的现象：一方面是有人囤积货物，手里有口罩但不卖，人为造成市场供应紧张；另一方面是有人散播谣言，导致人们大量囤积口罩。

在这个时候，政府必须出面，严控口罩价格，这并不是不鼓励生产口罩，而是疫情当前，政府在权衡各种利弊之后，做出的一个合理决定。

需求周期

我们需要考虑一个问题：曾经的“口罩供不应求”，是如何产生的？

从需求端而言，口罩从很少使用的“备用品”成了“必需品”——需求端异乎寻常地增加，使得市场上已有的口罩无法满足需求，必须增加产量；从生产端而言，由于工厂无法及时开工，相关的企业、设备、员工数量又较为有限，导致产能无法立即跟上，从而加剧了供不应求的情况。

同时，由于出现了热销甚至涨价，不少创业者意识到口罩生产可能会带来的利润，开始购买生产线、招募员工，加入口罩生产的行列中。

但事实上，大多数人并没有享受到这一波“创业红利”。这又是为什么呢？一是，口罩生产并不是一个“高门槛”的工作，A 可以做，B 也可以做，这就意味着生产者的总量会快速增加；二是，原有的企业只是以前没有开足马力生产，并不是真的缺乏产能；三是，消费者在大规模购买囤积后，再购买的急迫性并不高，因为购买的已经足够用了。

当新进入的企业筹备了几个月后，开始大规模生产，却发现同行多了，而消费者的热情也降低了，原本“能赚到大钱”的幻想自然也就破灭了。

战略储备是动态流动的

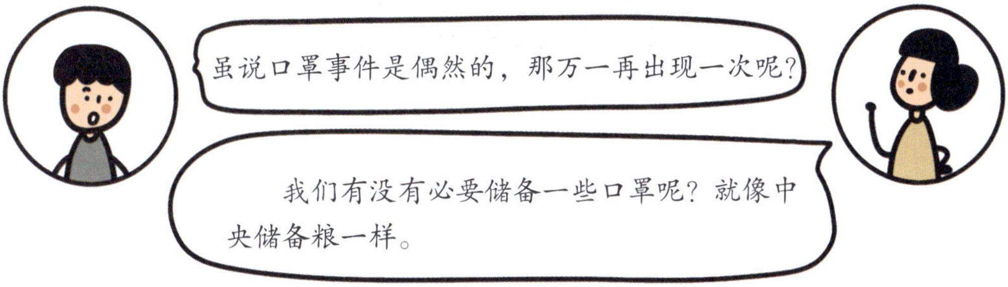

中央储备粮作为重要战略物资，其实是动态流动的。例如，中央储备粮隔一段时间换一批，陈粮用掉，不管是用作饲料，还是用作口粮，都可以使用。每年再储备一些新粮，保证粮食始终在保质期内。

但口罩不同，它无法动态流动——即使每年换一批，换出来的口罩也未必能用完，只能扔掉，变成干垃圾，这就是浪费。如果不换的话，过两三年口罩也就过期了，还是要扔掉。

而且，口罩的储备基地放在哪里好呢？如果说一开始武汉的疫情比较严重，那把基地放在武汉，但万一下次疫情在其他地方暴发呢？口罩还要运过去，最后一算成本，可能还不如在当地生产新的呢。

经济学随堂笔记

按照供需理论来看，一般的商品只要需求大于供给，价格涨得再高也是合理的，但并不是每一种商品都会简单地遵循这样的逻辑。当这种商品和国计民生相关，属于保障生活的“必需品”，那么为了保障公众的普遍利益，这种商品的价格就会受到严格管控，即便有一定的上涨，也要确保绝大多数公众都能“买得起”“买得到”。不管是米、面、油、盐，还是燃料、钢铁等，都属于这个范畴内的商品。

小思考？

你觉得作为战略物资储存的物品，需要具备哪些条件？在中国，除了粮食以外，还有哪些战略储备物资？

垃圾分类这件“麻烦事”，值得做吗？

在过去几年，垃圾分类从倡导变成了强制的法规，也从上海逐步推广到了全国。如今在包括上海在内的多个城市，人们已经逐渐习惯了垃圾分类。目前，我们主要按照厨余垃圾（湿垃圾）、可回收垃圾（干垃圾）、其他垃圾和有害垃圾这 4 类来进行垃圾分类。

垃圾分类确实给人们的生活带来了一些不便。例如，一盒粽子过期了，该怎么扔？包装盒属于可回收垃圾，粽子叶属于其他垃圾，粽子属于厨余垃圾，这盒粽子需要分拆、扔到不同的垃圾桶才行。

这样做会耗费更多的时间，垃圾分类似乎也可以放在后端——先将垃圾混在一起，最后再分类。有必要把分类放在第一步吗？

垃圾分类的经济账

既然是垃圾，当然就是“不需要的东西”。就算其中有一部分垃圾可以“变废为宝”，但总体而言，这些垃圾依然会占据空间、造成污染。目前世界上公认的垃圾处理方法有以下几种。

方法一：填埋。目前填埋一吨垃圾需要400~600元，成本还是很高的。填埋操作简单，靠大自然降解，但这种方法占地面积大，效果慢，还会产生二次污染——水土污染。

方法二：焚烧。这需要配置垃圾焚烧设备，自动化程度高，也是我们目前大力推广使用的一种方法。但这种方法处理垃圾成本高、工艺技术复杂，焚烧产生的二噁英是地球上最致命的有毒物质之一。焚烧垃圾的最大成本是购买设备和空气污染。

方法三：再利用。例如，高温堆肥、制作再生纸和金属制品等。但能符合再利用标准的垃圾，只占很小一部分。

上述方法在实际生活中会按优先级

逐一使用。例如，先利用好可回收物；再焚烧不会产生太多有害物质的垃圾；最后填埋较难处理的垃圾。这其实是一个分类管理模型。

我们希望不同的垃圾对应不同的方法。例如，厨余垃圾和方法一对应，其他垃圾和方法二对应，可回收垃圾和方法三对应。但也会有一个问题：方法一也可以处理其他垃圾，方法三也能处理厨余垃圾和其他垃圾。那么，在操作过程中会出现什么情况呢？

人们很容易倾向于用方法一解决所有的问题——因为操作更简单，不用费脑筋判断。大家未必会想到“这样做要在未来付出代价”，而是会优先考虑在当下的操作中节约的成本。

如果把分拣放在垃圾处理的第一步，那垃圾就会得到更为妥善细致的分类处理，从而减少对环境的污染、节约资源。

不少发达国家，如日本、德国，即便有完善的垃圾处理体系，也要执行严苛的垃圾分类措施，也是因为发现了“投后分类”的资源分类效率远远不及全民参与的“投前分类”。

普及速度不快的经济账

听上去把垃圾分类放在第一步，利大于弊，但为什么不干脆一下子大范围开展，而是慢慢推行呢?

垃圾分类的背后，都需要成熟的处理体系。如果居民垃圾分类做得很好，但将垃圾装车运输时又把所有的垃圾混到了一起或当地的垃圾处理企业没有较强的垃圾处理能力，那垃圾分类就没有实际意义。

垃圾分类普及的前提是前端有废品回收企业，后端有垃圾再生处理企业，而且它们能在垃圾分类行动中获得收益。

由于目前我国各地区垃圾处理能力并不均衡，因此垃圾分类工作往往会从一线城市开始。

经济学随堂笔记

在环境问题迫在眉睫的今天，垃圾分类也必须要真正开始落实和施行。除了再利用的部分，其他的垃圾处理方式都会产生污染，但分类可以最大限度地减少污染，避免本来污染较小的垃圾处理后反而产生了更大的污染。所以，在日常生活中，我们也要尽量减少垃圾的产生。

小思考

在市场经济条件下你觉得人的惰性只能用强制性的方法来消除吗？

为什么国际油价下跌的时候，国内油价不下跌？

我国成品油的定价机制

我国成品油的价格与国际市场原油价格是联动的。当国际原油价格的调价幅度不超过每吨 50 美元时，国内成品油的价格不做调整，而是会在下次调价时累加或者冲抵。但重要的一点是：价格调控设置有上下限——上限为每桶 130 美元，下限为每桶 40 美元。也就是说，国际油价高于 130 美元，中国的原则是不涨价；国际油价低于 40 美元，中国的原则是不降价。

为什么要设置油价的上下限？

设置上限是为了维护消费者的利益，避免涨幅过大，大家开不起车；设置下限则是为了维持石油行业上下游企业的正常运转，保证正常的市场供应，让那些企业不至于因为营收突然大幅降低而退出市场。

国际油价上下波动的原因

影响国际油价的因素有很多，石油的库存、生产石油的成本、汇率等都有可能影响油价，而供求关系——生产量和需求量是影响国际油价最主要的原因。

国际油价的定价权主要掌握在美国、沙特阿拉伯等几个产油大国手里。也就是说，当主要产油国决定增加石油产量、大规模开采时，国际油价就会下跌；反之，当他们减少产量时，油价就会上涨。但如果石油过少，油价上涨过多，其他非主要产油区的原油就会成为市场首选；而如果石油过多，储存不便，油价下跌，也会影响收益。因此，在正常情况下，主要产油国都会保持开采量的相对稳定，以避免油价的剧烈波动。

中国的油价到底高不高?

中国的油价其实处于中间位置。世界上石油价格最便宜的 5 个国家为：委内瑞拉、苏丹、伊朗、科威特和阿尔及利亚。这 5 个国家都是产油国，石油价格低。虽然中国也有石油资源，但石油产量远不及以上产油国。其实，发达国家的油价普遍较高，只有美国例外。发展中国家的油价则相差不大，其中马来西亚的油价相对比较低。

美国和马来西亚的油价为什么这么低？

影响油价的其中一个因素是税费。通常我们买的不是原油，是成品油。因此，油价的高低要考虑其中的生产成本和税费。在全球统一石油市场的情况下，各个国家成品油不含税的价格差别不大，税费高低是造成零售价格差距的主要因素。中国成品油的售价中税费占 36.75%，而美国为 17%，日本为 42.45%，英国为 59.08%，德国为 56.42%。

经济学随堂笔记

了解国际形势和我国的政策，大家就会对国内油价的定价体系有一个更为清晰的认知。中国石化和中国石油缴纳的税金一直是我国财政收入中非常重要的组成部分。不论是各大院校收到的国家补助，还是退休金的发放，中国石化和中国石油这两家“巨无霸”企业缴纳的税金都在其中起到了不小的作用。

小思考

你知道你们家每个月给汽车加油的费用是多少吗？尝试做一个一年内油价浮动的表格。

为什么诺贝尔奖的奖金到现在还没发完？

1895 年，即将离开人世的诺贝尔立下遗嘱，将其 920 万美元财产的利息用于设立一系列奖金。1897 年，瑞典议会正式设立了诺贝尔基金会，管理诺贝尔的遗产和奖金，并委任瑞典不同的学院以及挪威诺贝尔委员会作为不同奖项的颁发机构。诺贝尔奖每年都会评选和颁发一次，重在奖励在物理学、化学、和平、文学、生理学或医学以及经济学领域有杰出贡献的人。

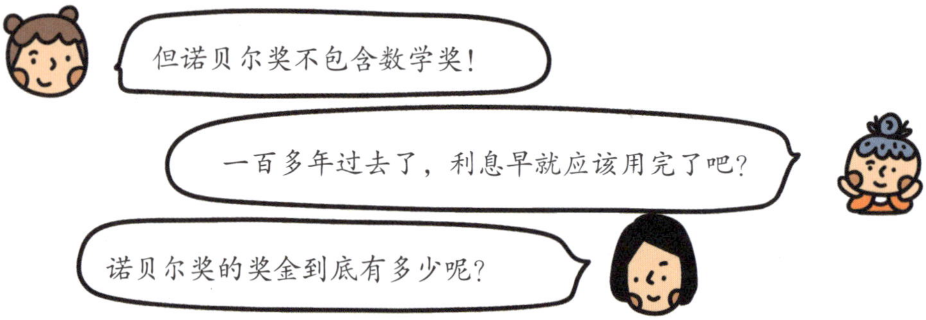

投资和理财

投资是理财的一部分。理财包括投资，也包括为自己做消费规划，是一种对财富的管理方式。投资则更多的是为了获得财富上的增值，是一种通过投入一定的资金以获得更多资金的行为。

诺贝尔的遗产并没有存放在保险箱里，也没有存在银行里，它一直在瑞典政府的批准下，由一批金融高手进行投资，以获得回报。只有小部分的新增额度来自瑞典政府的资助以及其他人的捐赠。而且，为了遵照诺贝尔“不动用本金”的意愿，基金会每年还会把一小部分的投资净收益归入本金，进行再投资。所以，在“官方 + 金融高手”的管理下，诺贝尔基金会的资产虽然也遭遇过风险，但总体处于增值状态。

投资的收益与风险

对我们普通人来说，收益与风险对等是一个普遍原则。

将钱存入银行是风险最低的投资方式，但银行利率往往比较低，很多时候都抵不过通货膨胀率，也就是货币贬值的速度。例如，日常消费支出上涨了5%，但银行的利率并没有上涨。

炒股是风险比较高的投资方式，每一次涨停就意味着有10%的收益，“资产翻倍”也不是没有可能。但股价同样也有可能下跌，导致本金损失。

至于收藏品，最大的问题是“流动性”，也就是说，买来后不太容易卖出去。例如，你收藏了一幅名人字画，想卖掉却并不那么容易，就算你把它送到拍卖行，也需要支付各种费用，最后它还可能流拍。

诺贝尔基金会的资产也曾经遭遇过危机。曾有一段时间，诺贝尔基金会的资产只能投资于“安全证券”，也就是国债等有固定收益、相对安全的产品。虽然这样的投资相对安全，但是过于保守的投资方式限制了收益，导致诺贝尔奖金的发放越来越艰难。

理财有大学问

为了让诺贝尔的遗产增值，瑞典政府找了真正的金融高手和理财专家来管理这笔资产。这些高手和世界各国政府有着比较密切的联系，能更好地进行投资回报的预判。

对中国人来说，我们投资海外资产的门槛很高。而且，出于金融安全性的考虑，人民币目前不是可以全球自由兑换的货币。我们个人兑换外币的数量是有严格限定的。就算完成了兑换，也有汇率损耗。而我们普通人的资产可能还不够付这些高手的顾问费。

分散风险

诺贝尔奖奖金的投资者常常会进行多种投资，也就是把鸡蛋放在不同的篮子里，分散风险，有的可能赚钱、有的可能亏损，但总体算下来赚了，就是成功。而普通人的收入，可能连一个篮子都填不满，更不要说装在不同的篮子里了。就像现在有些理财产品，利息很高，但是起投资金就是 50 万元，这就把大部分普通投资者挡在了门外。

机遇

机遇对投资来说也比较重要。在 20 世纪 80 年代，股市暴涨、房产增值，诺贝尔基金会的资产一下子实现了倍数增长。更重要的是，在 20 世纪 90 年代，瑞典楼市出现危机时，基金会及时出清了手里的投资性房产。另外，基金会的金融高手们也进行全球化投资布局和金融衍生产品投资，比如海外房产、对冲基金等，都有所斩获。虽然也有亏损，但总体来说，诺贝尔奖的奖金池在持续扩大。

经济学随堂笔记

时至今日，诺贝尔奖依然被视为各领域最重要的荣誉，这不仅归功于它对推动人类社会进步所做出的贡献，也归功于对诺贝尔遗产所进行的成功的投资理财。但对我们普通人来说，跟随诺贝尔基金会投资是一件可望而不可即的事。不过，虽然不能跟随诺贝尔基金会投资“发大财”，但日常理财也能够帮助我们更好地规划自己的未来。

小思考？

思考一下，为什么5万元和500万元的理财方式是不一样的？